2

fresa y chocolate

Senel Paz

EDITORIAL TXALAPARTA

4

Título:
Fresa y chocolate

Título original:
El lobo, el bosque y el hombre nuevo

Autor:
Senel Paz

Editorial:
Editorial Txalaparta S.l.
C/ Navaz y Vides 1-2.º
31300 Tafalla
Navarra - Nafarroa
Tfno. (948) 75 52 60
Fax (948) 75 50 12

Primera edición de Txalaparta:
Tafalla, diciembre 1994

I.S.B.N.:
84-8136-941-1

Depósito legal:
NA. 1.931–1994

Copyright:
Txalaparta para la presente edición

Diseño editorial y portada:
Benito y Javi
Horixe Diseño

Preimpresión:
Cometip S.L.

Impresión:
Gráficas Lizarra

fresa y chocolate

smael y yo salimos del bar y nos despedimos, lo siento David pero ya son las dos, y me quedé con aquella necesidad de conversar, de no estar solo. Ya iba a meterme en el cine cuando me arrepentí, casi llegando a la taquilla, y me pareció que mejor llamaba a Vivian, pero me arrepentí, casi llegando al teléfono, y me dije: mira, David, lo mejor-mejor es que te vayas a esperar la guagua a Coppelia, la Catedral del Helado. Y entonces... ah, Diego.

Así, la Catedral del Helado, le llamaba a este sitio un maricón amigo mío. Digo maricón con afecto y porque a él no le gustaría que lo dijera de otra manera. Tenía su teoría. «Homosexual es cuando te gustan hasta un punto y puedes controlarte», decía, «y también aquellos cuya posición social (quiero decir, política) los mantiene inhibidos hasta el punto de convertirlos en uvas secas». Me parece que lo estoy oyendo, de pie en la puerta del balcón, con la taza de té en la mano. «Pero los que son como yo, que ante la simple insinuación de un falo perdemos toda compostura, mejor dicho, nos descocamos, ésos somos maricones, David, ma-ri-co-nes, no hay más vuelta que darle».

Nos conocimos precisamente aquí, en Coppelia, un día de esos en que uno no sabe si cuando termina la merienda va a perderse calle arriba o calle abajo. Vino hasta mi mesa, y murmurando «con permiso» se instaló en la silla de enfrente con sus bolsas, carteras, paraguas, rollos de papel y la copa de helado. Le eché una ojeada: no había que ser muy sagaz para ver de qué pata cojeaba; y habiendo chocolate, había pedido fresa. Estábamos en una de las áreas más céntricas de la heladería, tan cercana a su vez a la universidad, por lo que en cualquier momento podía vernos alguno de mis compañeros. Luego me preguntarían que quién era la damisela que me acompañaba en Coppelia, que por qué no la traía a la Beca y la presentaba. Por joder, sin mala intención, pero como nunca me defiendo tan mal ni me pongo tan nervioso como cuando soy inocente, la broma pasaría a sospecha, y si a eso se agrega que David es un poco misterioso y David cuida mucho su lenguaje, ¿lo han oído decir alguna vez «cojones, me cago en la pinga»?, y David no tiene novia desde que Vivian lo dejó, ¿lo dejó ella?, ¿y por qué lo dejó?, cualquier cálculo razonable aconsejaba dejar el helado y salir pitando, lo mismo calle arriba que calle abajo. Pero en esa época yo ya no hacía cálculos razonables, como antes, cuando de tantos cálculos por poco hago mierda mi vida... Sentí como si una vaca me lamiera el rostro. Era la mirada libidinosa del recién llegado, lo sabía, esta gente es así, y se me trancó la boca del estómago. En los pueblos pequeños los afeminados no tienen defensa, son el hazmerreír de todos y evitan exhibirse en público; pero en La Habana, había oído decir, son otra cosa, tienen sus trucos. Si cuando me volviera a mirar le soltaba un sopapo que lo tirara al suelo vomitando fresa, desde allí mismo me gritaría, bien alto para que todo el mundo lo oyera: «Ay, papi, ¿por qué? Te juro que no miré a nadie, mi cielo». Así es que, por mí, que lamiera cuanto quisiera, no iba a caer en la provocación. Y cuando comprendió que la vaciladera no le daría resultados, colocó otro bulto sobre la mesa. Sonreí para mis adentros porque me di cuenta de que se trataba de una carnada, y no estaba dispuesto a morderla. Sólo miré de reojo y vi que eran libros, ediciones extranjeras, y el de arriba-arriba, por eso mismo, por ser el de arriba, quedó al alcance de mi vista: Seix Barral, Biblioteca Breve, Mario Vargas Llosa, *La guerra del fin del mundo*. ¡Madre mía, ese libro, nada menos! Vargas Llosa era un reaccionario, hablaba mierdas de Cuba y el socialismo donde quiera que se paraba, pero yo estaba loco por leer su última novela y mírala allí: los maricones todo lo consiguen primero. «Con tu permiso, voy a guardar», dijo él e hizo desaparecer los libros en una bolsa de larguísimos tirantes que le colgaba del cuello. «Me cago en su madre», pensé, «este tipo tiene más bolsas que los canguros». «Tengo más bolsas que un canguro», dijo él con una sonrisita. «Es un material demasiado explosivo para exhibirlo en público. Nuestros policías son cultos. Pero si te interesan, te los muestro... en otro lugar». Me cambié el carnet rojo de militante de la Unión de Jóvenes Comunistas de un bolsillo a otro: que comprendiera que mis intereses de lector no creaban ninguna intimidad entre nosotros, ¿o prefería que llamara a uno de sus cultos policías? No captó para nada el mensaje. Me miró con otra sonrisita y se dedicó a recoger con la puntica de la cuchara una puntica de helado que se llevó a la puntica de la lengua: «Exquisito, ¿verdad? Es lo único que hacen bien en este país. Ahorita los rusos se antojan de que les den la receta, y habrá que dársela» ¿Por qué tiene uno que aguantarle eso a un maricón? Me llené la boca de helado y empecé a masticarlo. Dejó pasar unos segundos. «Yo a ti te conozco. Te he visto muchísimas veces paseando por ahí, con un periodiquito bajo el brazo. Chico, cómo te gusta Galiano». Silencio de mi parte. «Un amigo mío al que no se le nota nada y que también te conoce, te vio en un encuentro provincial de no me acuerdo qué y me dijo que eras de Las Villas, como Carlos Loveira». Pegó un gritito: había descubierto una fresa casi intacta en el helado. «Hoy es mi día de suerte, me encuentro maravillas». Silencio de mi parte. «Se habla de los orientales y los habaneros, pero a ustedes, los de Las Villas, les encanta ser de Las Villas. Qué bobería». Se esforzaba en montar la fresa en la cuchara, pero la fresa no se quería montar. Yo había terminado el helado y ahora no sabía cómo irme, porque ése es otro de mis problemas: no sé iniciar ni terminar una conversación, oigo todo lo que me quieran decir aunque me importe un pito. «¿Te interesó Vargas Llosa, compañero militante de la Juventud?», dijo empujando la fresa con el dedo. «¿Lo leerías? Jamás van a publicar obras suyas aquí. Ésa que viste, su última novela, me la acaba de enviar Goytisolo de España». Y se quedó mirándome. Empecé a contar: cuando llegara a cincuenta me ponía de pie y me iba pa'l carajo. Me dejó llegar a treinta y nueve. Se llevó la cucharilla a la boca y, saboreando más la frase que la fresa, dijo: «Yo, si vas conmigo a casa y me dejas abrirte la portañuela botón por botón, te la presto, Torvaldo».

De haber sabido el efecto que me iban a producir sus palabras, Diego hubiera evitado aquel lance. Tocó la tecla que no se me podía tocar. La sangre me subió a la cabeza, las venas del cuello se me hincharon, sentí mareos y la vista se me nubló. Cuatro años atrás, a mi profesora de literatura en el preuniversitario, que no sólo era una profesora de literatura frustrada sino también una directora de teatro frustrada, le llegó la oportunidad de su vida cuando la escuela no alcanzó el primer lugar en la emulación inter-Becas por falta de trabajo cultural. Fue a ver al director y lo convenció, primero, de que a Rita y a mí nos sobraba talento histriónico, y después, de que ella podría guiarnos con mano segura en *Casa de muñecas*, una obra que, si bien extranjera, pero ya lo dijo Martí, compañero director, estaba libre de ponzoñas ideológicas y figuraba en el programa de estudios revisado por el ministerio el verano pasado. El director aceptó encantado (era la oportunidad de su vida), y Rita ni se diga: su miedo escénico le impedía responder al pase de lista en clases, pero estaba secreta y perdidamente enamorada de mí. Yo, en cambio, di un no rotundo. Tenía un concepto demasiado alto de la hombría como para meterme a actor, y no tanto yo como mis compañeros. Para convencerme, el director tomó el camino más corto: me planteó el asunto como una tarea, una tarea, Álvarez David, que le sitúa la Revolución, gracias a la cual *usted, hijo de campesinos paupérrimos, ha podido estudiar; el escenario principal de la lucha contra el imperialismo no está en estos momentos en una obra de teatro, déjeme decirle; está en esos países de la América Latina donde los jóvenes de su edad enfrentan a diario la represión, mientras que a usted lo que le estamos pidiendo es algo tan sencillo como interpretar un personaje de Ibsen. Acepté. Y no porque no me quedara más remedio. Me convenció. Tenía razón. En una semana me aprendí mi papel y también el de Rita, pues ella se tomaba tan a pecho su amor secreto por mí que se quedaba en blanco cada vez que me acercaba. Era una de esas muchachas pálidas, indefensas, feas y por lo general huérfanas que con tanta frecuencia se enamoran de mí y de las que yo, por pena y porque no me gusta que nadie se traumatice, acabo por hacerme novio. La noche de la representación única, la misma en que Diego me descubrió y fichó para toda la vida, a su miedo escénico se sumó el nerviosismo por el público, el nerviosismo por el jurado y el nerviosismo mayor y definitivo por ser aquella la última vez en que estaría en mis brazos, o más bien en los de aquel tipo del siglo XIX que yo representaba en el traje concebido por la profesora de litera-*

tura. Y ya cerca del final no pudo más y se quedó muda en medio del escenario, mirándome con ojos de carnero degollado. A la profesora comenzó a faltarle el aire, al director se le partió un diente y el público cerró los ojos. Fui yo, el actor por encargo, quien no perdió la ecuanimidad en aquel momento difícil de la Patria y el Teatro. «Estás preocupada y guardas silencio, Nora», dije acercándome lentamente con la esperanza de darle el pie o propinarle una patada en la espinilla. «Ya sé: tenemos que hablar ¿Me siento? Seguro que va a ser largo». Pero nada, lo de Rita iba en serio y la obra tuvo que continuar convertida en un monólogo autocrítico de Torvaldo hasta que la profesora de literatura reaccionó, hizo bajar dos pantallas y al compás de *El lago de los cisnes*, la única música disponible en la cabina, comenzó a proyectar diapositivas de trabajadores y milicianas, citas del Primer Congreso de Educación y Cultura y poemas de Juana de Ibarbourou, Mirta Aguirre y suyos propios, con todo lo cual, opinó después, la pieza adquirió un alcance y actualidad que el texto de Ibsen, en sí, no tenía. «Es la vergüenza más grande que he pasado en mi vida», confesaba Diego después. «No hallaba cómo esconderme en la butaca, la mitad del *público rezaba por ti y alguien habló de provocar un cortocircuito. Además, con aquella chaqueta roja cuadros verdes y los bombachos negros parecías disfrazado de bandera africana. Nos conmovió tu sangre fría, la inocencia con que hacías el ridículo. Por eso fuimos tan pródigos en los aplausos».* Y eso fue lo peor, la lástima con que me aplaudieron. Mientras los escuchaba, iluminado por los reflectores rogaba con toda mi alma que se produjera un efecto de amnesia total sobre todos y cada uno de los presentes y que nunca, jamás, *never*, ¿me oyes, Dios?, me encontrara con uno de ellos, alguien que me pudiera identificar. A cambio, me comprometí a pensar dos veces cuando volvieran a asignarme una tarea, a no masturbarme y a estudiar una carrera científico-técnica, que eran las que necesitaba el país entonces. Y cumplí, excepto en lo de la carrera científico-técnica, porque en lo de la masturbación Dios tuvo que comprender que se debió al desespero y la inexperiencia; pero Él, por su parte, me fallaba: olvidaba su palabra y me ponía delante, en Coppelia y un día en que ni siquiera estaba lúcido, a un Fulano que por haberme visto en aquel trance creía poder chantajearme.

«No, no; es una broma», se asustó Diego al verme al borde de la apoplejía. «Disculpa, fue jugando, naturalmente, para entrar en confianza. Toma, bebe un poco de agua. ¿Quieres ir al Cuerpo de Guardia del Calixto?», «¡No!», dije poniéndome de pie y tomando una decisión tajante. «Vamos a tu casa, vemos los libros, conversamos lo que haya que conversar, y no pasa nada». Los nervios me dieron por eso. Me miró boquiabierto. «¡Recoge!». Pero una cosa era descargar sus bultos y otra recogerlos, así que mientras lo hizo tuvo tiempo para reponerse. «Antes voy a precisarte algunas cuestiones porque no quiero que luego vayas a decir que no fui claro. Eres de esas personas cuya ingenuidad resulta peligrosa. Yo, uno: soy maricón. Dos: soy religioso. Tres: he tenido problemas con el sistema; ellos piensan que no hay lugar para mí en este país, pero de eso, nada; yo nací aquí; soy, antes que todo, patriota y lezamiano, y de aquí no me voy ni aunque me peguen candela por el culo. Cuatro: estuve preso cuando lo de la UMAP. Y cinco: los vecinos me vigilan, se fijan en todo el que me visita ¿Insistes en ir?». «Sí», dijo el hijo de los campesinos paupérrimos, con una voz ronca que yo apenas reconocí.

El apartamento, que en lo sucesivo llamaré La guarida, pues no escapaba de esa costumbre que tienen los habaneros de bautizar sus viviendas cuando son minúsculas y viven solos (ya conocería La Gaveta, El Closet, El Asteroides, La Alternativa, Donde-se-da y no-se-pide), consistía en una habitación con baño, parte del cual se había transformado en cocina. El techo, a un kilómetro del suelo, se adornaba en la esquina y el centro con unas plastas de vaca que en La Habana llamaban plafones, y al igual que las paredes y los muebles estaban pintados de blanco, mientras que los detalles de decoración y carpintería, los útiles de cocina, la ropa de cama y demás, eran rojos. O blanco o rojo, excepto Diego, que se vestía de tonos que iban del negro a los grises más claros, con medias blancas y gafas y pañuelo rosados. Aquel día casi todo el espacio lo ocupaban santos de madera, todos con unas caras que deprimían a cualquiera. «Estas tallas son una maravilla», precisó en cuanto entramos, para dejar claro que se trataba de arte y no de religión». «Germán, el autor, es un genio. Va a armar un revuelo en nuestras artes plásticas que no quieras ver. Ya se interesó el agregado cultural de una embajada y ayer nos llamaron de la corresponsalía de Efe». Yo conocía poco de arte, pero tiempo después, cuando el funcionario de Cultura opinó que no, que no transmitían ningún mensaje alentador, me pareció que no le faltaba razón, y se lo dije a Diego. «¡Que transmita Radio Reloj», chilló. «Esto es arte. Y no es por mí, David, compréndelo. Es por Germán. En cuanto la noticia llegue a Santiago de Cuba se arma el titingó. Puede que hasta lo boten del trabajo».

Pero esto fue después, los problemas con la exposición de Germán. Ahora estoy en el centro de La Guarida, rodeado de santos con dolor de estómago y convencido de haberme equivocado de lugar. En cuanto pudiera tumbarle el libro me iba echando. «Siéntate», invitó él, «voy a preparar un té para disminuir la tensión». Fue a cerrar la puerta. «¡No!», lo atajé. «Como quieras, así le facilitamos la labor a los vecinos. Siéntate en esa butaca. Es especial, no se la ofrezco a todo el mundo». Pasó al baño, y por encima del chorro de orine, oí su voz: «La uso exclusivamente para leer a John Donne y a Kavafis, aunque lo de Kavafis es una haraganería mía. Se le debe leer en silla vienesa o a horcajadas sobre un muro *sin repellar». Reapareció, aclarando que John Donne era un poeta inglés totalmente desconocido entre nosotros, y que él, el único que poseía una traducción de su obra, no se cansaba de circularla entre la juventud. «Llegará el momento en que se hable de él hasta en el bar Los Dos Hermanos, te lo aseguro. Pero, siéntate, chico». La butaca de John Donne se hundió hasta dejarme el culo más bajo que los pies, pero con un simple movimiento hallé la comodidad perfecta «¿Pongo música? Tengo de todo. Originales de María Malibran, Teresa Stratas, Renata Tebaldi y la Callas, por supuesto. Son mis favoritas. Ellas, y Celina González ¿Cuál prefieres?» «Celina González no sé quién es», dije con toda sinceridad y Diego se dobló de la risa. La gente de La Habana cree que porque uno es del interior se pasa la vida en guateques campesinos. «Muy bien, muy bien. Te has ganado el honor de ser el primero en escuchar un disco de la Callas que acabo de recibir de Florencia, con su interpretación de La Traviata, de 1955, en la Scala de Milán. Florencia de Italia, se entiende». Puso el disco y pasó a la cocina «¿Cuál es tu gracia? Yo me llamo Diego. Siempre me hacen el chiste de Digo Diego. Es como a Antón, que le hacen el de Antón*

Pirulero ¿Tú cómo te llamas?». «Juan Carlos Rondón, para servirte». Asomó la cabeza. «Qué mentiroso, villareño al fin. Te llamas David. Yo lo sé todo de todo el mundo. Bueno, de la gente interesante. Tú, escribes». Cuando vino con el servicio de té tropezó y me derramó encima un poco de leche. No se tranquilizó hasta que accedí a quitarme la camisa. La lavó en un dos por tres y la tendió en el balcón junto a un mantón de Manila que también trajo del baño. Se sentó frente a mí, y colocó sobre mis piernas un cartucho de chocolatines. «Por fin podemos conversar en paz. Propón tú el tema, no quiero imponerte nada». En lugar de responder, bajé la cabeza y clavé la vista en una loseta «¿No se te ocurre nada? Bueno, ya sé, te contaré cómo me hice maricón».

Le ocurrió cuando tenía doce años y estudiaba en un colegio de curas como interno. Una tarde, no recordaba por qué razón, necesitó encender una vela, y como no encontraba fósforos pasó al dormitorio de los alumnos del último nivel, entrando, sin darse cuenta, por la parte de los baños. Allí, bajo la ducha, desnudo, estaba uno de los basquetbolistas de la escuela, todo enjabonado y cantando

«Nosotros, que nos queremos tanto, ¿debemos separarnos?, no me preguntes más...». «Era un muchacho pelirrojo, de pelo ensortijado», precisó con un suspiro, «con esa edad que no son los catorce ni los quince. Un chorro de luz que entraba de lo alto, más digno de los rosetones de Notre Dame que de la claraboya de nuestro convento de los Hermanos Maristas, lo iluminaba por la espalda, sacando tornasoles de su cuerpo salpicado de espuma». El muchacho estaba excitado, añadió, tenía agarrada la verga y era a ella a quien le cantaba, y Diego quedó fascinado, sin poder apartar la vista de aquel semidiós que lo miraba y se dejaba mirar. No hubo palabras: el otro lo tomó del brazo, lo volteó contra la pared y lo poseyó. «Regresé al dormitorio con la vela apagada», dijo, «pero iluminado por dentro, y con el pálpito de haber comprendido el mundo de sopetón». El destino, sin embargo, le reservaba una amarga sorpresa. Dos días después, al ir a prender otra vela, se enteró de que su violador había muerto de una patada en la cabeza; tratando de recuperar una pelota, se había metido entre las patas del mulo que acarreaba carbón para la escuela, y éste, insensible a sus encantos, le propinó una coz fulminante. «Desde entonces», concluyó Diego mirándome, «mi vida ha consistido en eso, en la búsqueda del ideal del basquetbolista. Tú te le das un aire».

Era obvio que conocía a la perfección la técnica de despertar el interés de reclutas y estudiantes, y también la de relajar a los tensos, como aclararía después. Consistía esta última en hacernos oír o ver lo que no queríamos oír ni ver, y daba excelentes resultados con los comunistas, diría. Sin embargo, no avanzaba conmigo. Yo había llegado, como los otros, me había sentado en la butaca especial, como ellos, pero, como ninguno, había clavado la vista en la loseta y de allí no lograba despegármela. Se había sentido tentado a mostrarme la revista porno que guardaba para los más difíciles, o a brindarme de la botella de Chivas Regal en la que siempre quedaban cuatro dedos de cualquier ron, pero se contuvo, porque no era eso lo que esperaba de mí; y al final de la tarde cuando comenzó a sentir hambre, comprendió que no estaba dispuesto a compartir conmigo sus reservas, y que no se le ocurría cómo dar por terminada la visita. Se quedó callado, pensativo. Había deseado mucho este encuentro, confesaría luego, desde que me vio por primera vez en el teatro interpretando a Torvaldo. Incluso lo había soñado y varias veces estuvo a punto de abordarme en la calle Galiano, porque desde el principio tuvo la intuición de nuestra amistad. Pero ahora yo, tieso y mudo en el centro de La Guarida, le resultaba tan soso que empezó a creer que, como en tantas otras ocasiones, había sido víctima de un espejismo, de su propensión a adjudicarle sensibilidad y talento a los que teníamos carita de yo-no-fui. Realmente le sorprendía y le dolía equivocarse conmigo. Yo era su última carta, el último que le quedaba por probar antes de decidir que todo era una mierda y que Dios se había equivocado y Carlos Marx mucho más, que eso del hombre nuevo, en quien él depositaba tantas esperanzas, no era más que poesía, una burla, propaganda socialista, porque si había algún hombre nuevo en La Habana no podía ser uno de esos forzudos y bellísimos de los Comandos Especiales, sino alguien como yo, capaz de hacer el ridículo, y él se lo tenía que topar un día y llevarlo a La Guarida, brindarle té y conversar; carajo, conversar, no estaba siempre pensando en lo mismo, como me explicaría en otra de sus peroratas. «Me voy», dije yo por fin, poniéndome de pie, y lo miré, nos mira-

mos. Me habló sin incorporarse de la silla. «David, vuelve. Creo que no me he sabido explicar. Quizás te he parecido superfluo. Como todo el que habla mucho, hablo boberías. Es porque soy nervioso, pero me he sentido distinto conversando contigo. Conversar es importante, dialogar mucho más. No tengas miedo de volver, por favor. Sé respetar y medirme con cualquier persona y puedo ayudarte muchísimo, prestarte libros, conseguirte entradas para el ballet, soy amiguísimo de Alicia Alonso y me encantaría presentarte un día en casa de la Loynaz, a las cinco de la tarde, un privilegio que sólo yo puedo proporcionarte. Y quisiera obsequiarte con un almuerzo lezamiano, algo que no ofrezco a todo el mundo. Sé que la bondad de los maricones es de doble filo, como apunta el propio Lezama en alguna parte de su obra, pero no en este caso ¿Quieres saber por qué me gusta hablar contigo? Corazonadas. Creo que nos vamos a entender, aunque seamos distintos. Yo sé que la Revolución tiene cosas buenas, pero a mí me han pasado otras muy malas, y además, sobre algunas tengo ideas propias. Quizás esté equivocado, fíjate. Me gustaría discutirlo, que me oyeran, que me explicaran. Estoy dispuesto a razonar, a cambiar de opinión. Pero nunca he podido conversar con un revolucionario. Ustedes sólo hablan con ustedes. Les importa bien poco lo que los demás pensemos. Vuelve. Dejaré a un lado el tema de la mariconería, te lo juro. Toma, llévate La guerra del fin del mundo, *y mira, también* Tres tristes tigres, *eso tampoco vas a conseguirlo en la calle».* «¡No!», *y salí con un portazo.*

Eso estuvo bien, me dije en la calle, aún con el portazo en los oídos: ni quitarle los libros ni aceptarlos como regalo. Y mi espíritu, que dentro de mí había estado todo el tiempo preocupado, se relajó y comenzó a experimentar cierto orgullo por su muchacho, que al final-final no fallaba. Era lo que esperaba de mí, su joven comunista que en las reuniones terminaba por pedir la palabra y, aunque no se expresara bien, decía lo que pensaba y ya Bruno lo había requerido dos veces. Eso, con mi Espíritu, porque con mi Conciencia la cosa no es tan fácil, y antes de llegar a la esquina pedía que le explicara, pero despacio y bien, David Álvarez, por qué, si era hombre, había ido a casa de un homosexual; si era revolucionario, había ido a casa de un contrarrevolucionario; y si era ateo, había ido a casa de un creyente. Todo esto mientras yo avanzaba, subía al ómnibus y asimilaba empujones ¿Por qué delante de mí se podía ironizar con la Revolución (tu Revolución, David), y ensalzar el morbo y la podredumbre sin que yo saliera al paso? ¿No sentí el carnet en el bolsillo, o es que solamente lo llevaba en el bolsillo? ¿Quién eres realmente tú, muchachito? ¿Ya se te va a olvidar que no eres más que un guajirito de mierda que la Revolución sacó del fango y trajo a estudiar a La Habana? Pero si una cosa he aprendido en la vida es a no responderle a mi Conciencia en situaciones de crisis. En cambio, la sorprendí al bajarme en la universidad, subir la escalinata a toda prisa, buscar a Bruno, llevarlo a un rincón y preguntarle qué se hace, a quién se le informa cuando uno conoce a alguien que recibe libros extranjeros, habla mal de la Revolución y es religioso ¿Qué tal ahora, Conciencia? A Bruno le pareció tan importante el caso que se quitó los espejuelos y me llevó a ver a otro compañero, y en cuanto vi al otro compañero tuve la certeza de que iba a meter la pata otra vez. Tenía, como Diego, la mirada clara y penetrante, como si ese día los de miradas claras y penetrantes se hubieran puesto de acuerdo para joderme. Me pasó *a un despacho, me indicó una silla que no era vienesa ni un carajo y me dijo que cantara. Le dije que nosotros los revolucionarios siempre teníamos que estar alertas, con la guardia en alto; y que por eso, por estar alerta y con la guardia en alto, había conocido a Diego, lo había acompañado a su casa y sabía de él lo que ahora sabía. Enseguida me resultaron sospechosos sus libros extranjeros y sus pullitas. ¿Comprendía? O no comprendía o el cuento no lo impactaba. Bostezó una vez y hasta hojeó unos papeles mientras simulaba escucharme. Y ése es otro de mis problemas; me pongo mal cuando alguien se aburre con lo que cuento y entonces empiezo a manotear y agrego cualquier cantidad de detalles. «El tipo es contrarrevolucionario», enfaticé. «Tiene contactos con el agregado cultural de una embajada y le interesa influir a los jóvenes». «Es decir», esperaba que dijera el compañero, «que fuiste a casa del maricón contrarrevolucionario y religioso porque siempre hay que estar alertas, ¿no es así?». «Claro». Pero no dijo eso. Me miró con su mirada clara y penetrante y un escalofrío me recorrió el espinazo porque me pareció adivinar lo que iba a decir: «¡Qué miserable y comemierda eres, chiquito, qué tronco de oportunista engorda en ti!». Pero no, tampoco dijo eso. Sonrió, y me habló en un tono condescendiente, irónico o afectuoso, a mi elección: «Sí, siempre hay que estar alertas ¿David te llamas, no? El enemigo actúa donde menos uno se lo imagina, David. Averigua con qué embajada tiene contactos, anota lo que pregunte sobre movimientos militares y ubicación de los dirigentes, y nos volveremos a ver. Ahora tienes esa tarea, ahora eres un agente. ¿Okey?». Éste es Ismael. Llegaremos a ser amigos, a querernos como hermanos, y un día le ofreceré un almuerzo lezamiano porque también en su vida hubo una profesora de literatura.*

Bajé la escalinata de la universidad cinematográficamente: una marcha militar de fondo y yo descendiendo a toda prisa, y en lo alto, la bandera de la estrella solitaria, ondeando. Cuando llegué a la Beca me di un baño de agua caliente y abundante, mucha agua caliente y abundante cayéndome en la cocorotina, hasta que sentí que la última angustia del día se iba por el tragante, y podría dormir. Pero para cerrar el día en alto, decidí estudiar un poco y me tiré en la cama. Ése fue mi error. Desde mi cama se ve el mar, que estaba hermoso y tranquilo, de un azul intenso, y el mar me hace un efecto terrible. Dentro de mí, además de la Conciencia y el Espíritu, vive la Contraconciencia, que es más hija de puta todavía, y empezó a moverse y a querer despertar y hacer sus preguntas, y con mi Contraconciencia sí que no puedo. Una sola de sus preguntas me puede llevar al piso veinticuatro y tirarme de cabeza al vacío. Dejé el libro y ante el espejo del baño me dije: «Cojones, me cago en la pinga». Y le prometí a aquel que me miraba que lo iba a ayudar, que bajo ninguna circunstancia volvería a casa de éste, ni de ningún otro Diego, por mamá.

No cumplí mi palabra, y Diego tampoco la suya. «Los homosexuales caemos en otra clasificación aún más interesante que la que te explicaba el otro día. Esto es, los homosexuales propiamente dichos –se repite el término porque esta palabra conserva, aún en las peores circunstancias, cierto grado de recato–; los maricones –ay, también se repite–, y las locas, de las cuales la expresión más baja son las denominadas locas de carroza. Esta escala la determina la disposición del sujeto hacia el deber social o la mariconería.

Cuando la balanza se inclina al deber social, estás en presencia de un homosexual. Somos aquellos —en esta categoría me incluyo—, para quienes el sexo ocupa un lugar en la vida pero no el lugar de la vida. Como los héroes o los activistas políticos, anteponemos el Deber al Sexo. La causa a la que nos consagramos está antes que todo. En mi caso, el sacerdocio es la Cultura nacional, a la que dedico lo mejor de mi intelecto y mi tiempo. Sin autosuficiencias, mi estudio de la poesía femenina cubana del siglo XIX, mi censo de rejas y guardavecinos de las calles Oficios, Compostela, Sol y Muralla, o mi exhaustiva colección de mapas de la Isla desde la llegada de Colón, son indispensables para el estudio de este país. Algún día te mostraré mi inventario de edificios de los siglos XVIII y XIX, cada uno acompañado de un dibujo a plumilla del exterior y partes principales del interior, algo realmente importante para cualquier trabajo futuro de restauración. Todo esto, así como mi papelería, entre la cual lo más preciado son siete textos inéditos de Lezama, es fruto de muchos desvelos, querido, como lo es también mi estudio comparado de la jerga de los bujarrones del Puerto y el Parque Central. Quiero decir, que si me encuentro en ese balcón donde

ondea el mantón de Manila, estilográfica en mano, revisando mi texto sobre la poética de las hermanas Juana y Dulce María Borrero, no abandono la tarea aunque vea pasar por la acera al más portentoso mulato de Marianao y éste, al verme, se sobe los huevos. Los homosexuales de esta categoría no perdemos tiempo a causa del sexo, no hay provocación capaz de desviarnos de nuestro trabajo. Es totalmente errónea y ofensiva la creencia de que somos sobornables y traidores por naturaleza. No señor, somos tan patriotas y firmes como cualquiera. Entre una picha y la cubanía, la cubanía. Por nuestra inteligencia y el fruto de nuestro esfuerzo nos corresponde un espacio que siempre se nos niega. Los marxistas y los cristianos, óyelo bien, no dejarán de caminar con una piedra en el zapato hasta que reconozcan nuestro lugar y nos acepten como aliados, pues, con más frecuencia de la que se admite, solemos compartir con ellos una misma sensibilidad frente al hecho social. Los maricones no merecen explicación aparte, como todo lo que queda a medio camino entre una y otra cosa: los comprenderás cuando te defina a las locas, que son muy fáciles de conceptualizar. Tienen todo el tiempo el falo incrustado en el cerebro y sólo actúan

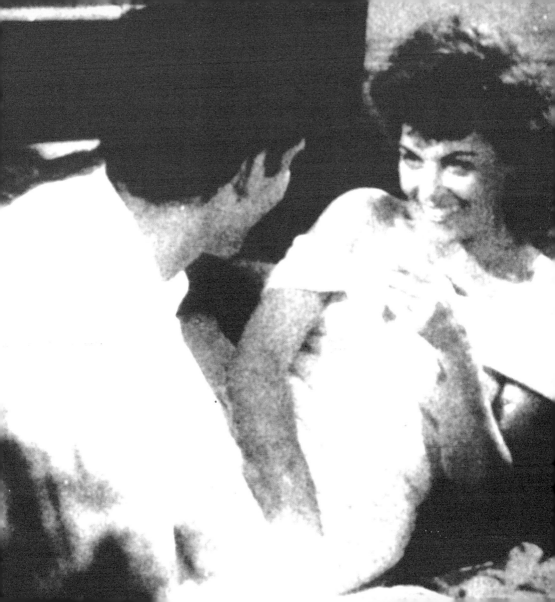

por y para él. La perdedera de tiempo es su característica funda-
mental. Si el tiempo que invierten en flirtear en parques y baños
públicos lo dedicaran al trabajo socialmente útil, ya estaríamos llegando a eso que ustedes llaman comunismo y nosotros paraíso. Las
más vagas de todas son las llamadas de carroza. A éstas las odio
por fatuas y vacías y porque por su falta de discreción y tacto, han
convertido en desafíos sociales actos tan simples y necesarios como
pintarse las uñas de los pies. Provocan y hieren la sensibilidad
popular, no tanto por sus amaneramientos como por su zoncera,
por ese estarse riendo sin causa y hablando de cosas que no saben.
El rechazo es mayor aún cuando la loca es de raza negra, pues
entre nosotros el negro es símbolo de virilidad. Y si las pobres viven
en Guanabacoa, Buenavista o pueblos del interior, la vida se les
convierte en un infierno, porque la gente de esos lugares es todavía
más intolerante. Esta tipología es aplicable a los heterosexuales de
uno y otro sexo. En el caso de los hombres, el eslabón más bajo, el
que se corresponde con las locas de carroza y está signado por la
perdedera de tiempo y el ansia de fornicación perpetua, lo ocupan
los picha-dulce, quienes pueden ir a echar una carta al correo,

pongamos por caso, y en el trayecto meterle mano hasta a una de nosotras, sin menoscabo de su virilidad, sólo porque no pueden contenerse. Entre las mujeres la escala termina naturalmente en las putas, pero no en las que pululan en los hoteles a la caza de turistas o cualesquiera otras que lo hacen por interés, de las cuales tenemos pocas, como bien dice la propaganda oficial, sino aquellas que se entregan por el único placer, como acertadamente dice el vulgo, de ver la leche correr. Ahora bien, tanto las locas y los pi-cha-dulce como las carretillas, existen en este paraíso bajo las estrellas, y al decir esto no hago más que suscribir lo que dijo un escritor inglés: las cosas desagradables de este mundo no pueden eliminarse con mirar sencillamente hacia otra parte».

Y así, con éste y otros temas, fuimos haciéndonos amigos, habituándonos a pasar las tardes juntos, bebiendo té en aquellas tazas que eran valiosísimas, decía, y convertimos en algo sagrado los almuerzos de los domingos, para los que reservábamos los asuntos más interesantes. Yo andaba descalzo por La Guarida, me quitaba la camisa y abría el refrigerador a mi antojo, acto este que en los provincianos y los tímidos expresa, mejor que ningún otro, que se ha llegado a un grado absoluto de confianza y relajamiento. Diego insistía en leer mis escritos, y cuando por fin me atreví a entregarle un texto, me hizo esperar dos semanas sin hacer comentarios, hasta que por fin lo puso sobre la mesa. «Voy a ser franco. Apriétate el cinturón: no sirve. ¿Qué es eso de escribir mujic en lugar de guajiro? Denota lecturas excesivas de las editoriales Mir y Progreso. Hay que comenzar por el principio, porque talento tienes». Y tomó en sus manos las riendas de mi educación. «Léete», me decía entregándome el libro Azúcar y población en las Antillas, y yo me lo leía. «Léete, Indagación del choteo», y yo me lo leía. «Léete, Americanismos y cubanismos literarios», y yo me lo leía. «Léete Contrapunteo cubano del tabaco y el azúcar», y yo me lo leía. «Éste lo forras con una cubierta de la revista Verde Olivo, y no lo dejes al alcance de los curiosos: es El monte, ¿me entiendes? Y para la lírica aquí tienes Lo cubano en la poesía; y algo que es oro molido: una colección completa de Orígenes, como no la tiene ni el propio Rodríguez Feo. Ésa la irás llevando número a número. Y aquí está, pero esto sí que es para después, todo lo que hacemos no *es más que una preparación para llegar a ella, la obra del Maestro, poesía y prosa. Ven, ponle la mano encima, acaríciala, absorbe su savia. Un día, una tarde de noviembre, cuando es más bella la luz habanera, pasaremos frente a su casa, en la calle Trocadero. Vendremos de Prado, caminando por la acera opuesta, conversando y como despreocupados. Tú llevarás puesto algo azul, un color que tan bien te queda, y nos imaginaremos que el Maestro vive, y que en ese momento espía por las persianas. Oye su respiración entrecortada, huele el humo de su tabaco. Dirá: 'Mira a esa loca y su garzón, cómo se esfuerza ella en hacerlo su pupilo, en vez de deslizarle un buen billete de diez pesos en la chaqueta'. No te ofendas, él es así. Sé que apreciará mi esfuerzo y admitirá tu sensibilidad e inteligencia, y aunque sufrió incomprensiones, le alegrará en particular tu condición de revolucionario. Ese día le resultará más grata su tarea de leer durante media hora partes de su obra a los burócratas del Consejo de Cultura que han sido destinados al reino de Proserpina, un auditorio bastante amplio, por cierto». En mapas desplegados en el piso, ubicábamos los edificios y plazas más interesantes de la Habana Vieja, los vitrales que no se podían dejar de*

*ver, las rejas de entramado más sutil, las columnas citadas por
Carpentier, y trozos de muralla de trescientos años de antigüedad.
Me confeccionaba un itinerario preciso que yo seguía al pie de la
letra, y regresaba, emocionado, a comentar lo visto en la intimidad
del apartamento, cerrado a cal y canto, mientras tomábamos
champola, prú oriental o batido de chirimoya, y escuchábamos a
Saumell, Caturla, Lecuona, el Trío Matamoros o, bajito, por los
vecinos, a Celia Cruz y la Sonora Matancera. En cuanto al ballet,
que era su fuerte, no me perdía una función. Él siempre conseguía
entradas para mí, por muy difíciles que estuvieran, y en los casos
verdaderamente críticos, me cedía su invitación. En el teatro no nos
saludábamos aunque coincidiéramos a la entrada o la salida, fin-
gíamos no vernos, y nunca su puesto quedaba cerca del mío. Para
evitar encuentros, yo permanecía en la sala durante los entreactos,
contando las vocales en los textos de los programas. «Lo que más
me maravilla de nuestra amistad», solía decir, «es que sé tanto de
ti como al principio. Cuéntame algo, viejo. Tu primera experiencia
sexual, a qué edad te empezaste a venir, cómo son tus sueños eróti-
cos. No trates de tupirme; con esos ojitos que tienes, cuando te*

desbocas debes ser candela». «¿Y por qué —volvía a la carga en cuanto yo me entiesaba—, ahora que somos como hermanos, no permites que te vea desnudo? Te advierto, no puedo retener en la memoria la figura de un hombre al que no le haya visto la pirinola. Total, que me la imagino: la tuya debe ser tierna como una palomita; aunque déjame decirte, hay muchachos así de tu tipo, sensibles y espirituales, que sin embargo, cuando se desnudan, se mandan tremendo fenómeno».

Para el almuerzo lezamiano me hizo venir de cuello y corbata. El traje me lo prestó Bruno, que además me obligó a aceptarle diez pesos, pensando que llevaba una chiquita a Tropicana. La calidad excepcional del almuerzo, como decía el propio Lezama en Paradiso, según supe después, se brindaba en el mantel de encajes, ni blanco ni rojo, sino color crema, sobre el que destellaba la perfección del esmalte blanco de la vajilla con sus contornos de un verde quemado. Diego destapó la sopera, donde humeaba una cuajada sopa de plátanos. «Te he querido rejuvenecer», dijo con una sonrisa misteriosa, «transportándote a la primera niñez, y para eso le he añadi-

*do a la sopa un poco de tapioca...». «¿Eso qué es?». «Yuca, niño,
no me interrumpas. He puesto a sobrenadar unas rositas de maíz,
pues hay tantas cosas que nos gustaron de niño y que sin embargo
nunca volvemos a disfrutar. Pero no te intranquilices, no es la lla-
mada sopa del oeste, pues algunos gourmets, en cuanto ven el
maíz, creen ver ya las carretas de los pioneros rumbo a la Califor-
nia, en la pradera de los indios sioux. Y aquí debo mirar hacia la
mesa de los garzones»,* interrumpió su extraña recitación, que yo
aprobaba con una sonrisita bobalicona, pretendiendo que lo seguía
en el juego. *«Troquemos»,* dijo recogiendo los platos una vez que
tomamos la estupenda sopa, *«el canario centella por el langostino
remolón; y hace su entrada el segundo plato en un pulverizado
soufflé de mariscos, ornado en la superficie por una cuadrilla de
langostinos, dispuestos en coro, unidos por parejas, con sus pinzas
distribuyendo el humo brotante de la masa apretada como un coral
blanco. Forma parte también del soufflé el pescado llamado empera-
dor y langostas que muestran el asombro cárdeno con que sus ca-
rapachos recibieron la interrogación de la linterna al quemarles los
ojos saltones».* No encontré palabras para elogiar el soufflé, y esa

incapacidad mía o de la lengua, resultó ser el mejor elogio. «Después de ese plato de tan lograda apariencia de colores abiertos, semejantes a un flamígero muy cerca ya de un barroco, y que sin embargo continúa siendo gótico por el horneo de la masa y por alegorías esbozadas por el langostino, remansemos la comida con una ensalada de remolacha embarrada de mayonesa con espárragos de Lübeck; y atiende bien, Juan Carlos Rondón, porque llega el clímax de la ceremonia». Y al ir a trincar una remolacha, se desprendió entera la rodaja y fue a caer al mantel. No pudo evitar un gesto de fastidio, y quiso rectificar el error, pero volvió la remolacha a sangrar, y al recogerla por tercera vez, por el sitio donde había penetrado el trincante se rompió la masa, deslizándose; una mitad quedó adherida al tenedor, y la otra volvió a caer al mantel, quedando señalados tres islotes de sangría sobre los rosetones. Yo abrí la boca, apenado por el incidente, pero él me miró con regocijo: «Han quedado perfectas», dijo, «esas tres manchas le dan en verdad el relieve de esplendor a la comida». Y casi declamando, agregó: «En la luz, en la resistente paciencia del artesanado, en los presagios, en la manera como los hilos fijaron la sangre vegetal, las *tres manchas entreabrieron una sombría expectación». Sonrió, y feliz y divertido, me reveló el secreto: «Estás asistiendo al almuerzo familiar que ofrece doña Augusta en las páginas de* Paradiso, *capítulo séptimo. Después de esto podrás decir que has comido como un real cubano, y entras, para siempre, en la cofradía de los adoradores del Maestro, faltándote, tan sólo, el conocimiento de su obra». A continuación comimos pavo asado, seguido de crema helada también lezamiana, de la que me ofreció la receta para que yo a mi vez la trasladara a mi madre. «Ahora Baldovina tendría que traer el frutero, pero a falta suya iré por él. Me disculparás las manzanas y las peras, que he sustituido por mangos y guayabas, lo que no está del todo mal al lado de mandarinas y uvas. Después nos queda el café, que tomaremos en el balcón mientras te recito poemas de Zenea, el vilipendiado, y pasaremos por alto los habanos, que a ninguno de los dos interesan. Pero antes», añadió con súbita inspiración, cuando su vista tropezó con el mantón de Manila, «un poco de baile flamenco», y me deleitó con un vertiginoso taconeo que cortó de repente. «Lo odio», dijo arrojando el mantón lejos de sí. «No sé si un día me podrás perdonar, David». Lo mismo pensaba* yo, que de repente empecé a sentirme mal, porque mientras disfrutaba del almuerzo no pude evitar que algunas de mis neuronas permanecieran ajenas al convite, sin probar bocado y con la guardia en alto, razonando que las langostas, camarones, espárragos de Lübeck y uvas, sólo las podía haber obtenido en las tiendas especiales para diplomáticos y por tanto constituían pruebas de sus relaciones con extranjeros, lo que yo debía informar al compañero, que todavía no era Ismael, en mi calidad de agente.

Pasó el tiempo felizmente, y un sábado, cuando llegué para el té, Diego sólo entreabrió la puerta. «No puedes pasar. Tengo aquí a uno que no quiere que le vean la cara y la estoy pasando de lo mejor. Regresa más tarde, por favor». Me fui, pero sólo hasta la acera de enfrente, para verle la cara al que no quería que se la vieran. Diego bajó enseguida, solo. Lo noté nervioso, miró para uno y otro lado de la calle, y a toda prisa dobló la esquina. Me apuré y alcancé a verlo subir a un carro diplomático semioculto en un pasaje. Tuve que ocultarme tras una columna, porque salían disparados. ¡Diego en un carro diplomático! Un dolor muy fuerte se me *instaló en el pecho. Dios mío, todo era cierto. Bruno llevaba razón, Ismael se equivocaba cuando decía que a esta gente había que analizarla caso por caso. No. Siempre hay que estar alertas: los maricones son traidores por naturaleza, por pecado original. Y en cuanto a mí, de doblez nada. Podía olvidarme de eso y ser feliz: lo mío había sido puro instinto de clase. Pero no alcanzaba a alegrarme. Me dolía. Qué dolor da que un amigo te traicione, qué dolor, por tu madre, y qué rabia descubrir que había sido estúpido una vez más, que otro me manejó como quiso. Qué mal te sientes cuando no te queda más remedio que reconocer que los dogmáticos tienen razón y que tú no eras más que un gran comemierda sentimental, dispuesto a encariñarte con cualquiera. Llegué al Malecón, y como suele ocurrir, la naturaleza se puso a tono con mi estado de ánimo: el cielo se encapotó en un dos por tres, se escucharon truenos cada vez más cerca, y en el aire empezó a flotar un aire de lluvia. Mis pasos me llevaban directamente a la universidad, en busca de Ismael, pero tuve la lucidez —o lo que fuese, porque la lucidez en mí es un lujo difícil de admitir— de comprender que no resitiría un tercer encuentro con él, con su mirada clara y pene-*

trante, y me detuve. El segundo había sido después del almuerzo lezamiano, cuando necesité poner mi cabeza en orden para que no me estallara. «Me confundí», le dije entonces, «ese muchacho es buena persona, un pobre diablo, y no vale la pena seguir vigilándolo». «¿Pero no decías que era un contrarrevolucionario?», comentó con ironía. «Aún en este punto debemos admitir que su relación con la Revolución no ha sido como la nuestra. Es difícil estar con quien te pide que dejes de ser como eres para aceptarte. En resumen...». Y no resumí nada, no tenía aún confianza con Ismael como para agregar lo que me hubiera gustado: «Actúa como es, como piensa. Se mueve con una libertad interior que ya quisiera para mí, que soy militante». Ismael me miraba y sonreía. Lo que diferenciaba las miradas claras y penetrantes de Diego e Ismael (para acabar contigo, Ismael, porque éste no es tu cuento), es que la de Diego se limitaba a señalarte las cosas, y la de Ismael te exigía que, si no te gustaban, comenzaras a actuar allí mismo, para cambiarlas. Es por esto que era el mejor de los tres. Me habló de cualquier cosa, y al despedirnos, me colocó una mano en el hombro y me pidió que no nos dejáramos de ver. Entendí que me liberaba de mi compromiso de agente y que comenzaba nuestra amistad. ¿Qué pensaría ahora, cuando le dijera lo que acababa de descubrir? Regresé al edificio de Diego dispuesto a esperarlo el tiempo necesario. Volvió en taxi en medio de un aguacero. Subí tras él y entré antes de que pudiera cerrar la puerta. «Ya el novio se fue», bromeó. «¿Y esa cara? ¿No me irás a decir que estás celosito?». «Te vi cuando subías a un carro diplomático». No se lo esperaba. Me miró sin color, se dejó caer en una silla y bajó la cabeza. La levantó al rato, diez años más viejo. «Vamos, estoy esperando». Ahora vendrían las confesiones, el arrepentimiento, las súplicas de perdón, confesaría el nombre del grupúsculo contrarrevolucionario a que pertenecía y yo iría directamente a la policía, iría a la policía. «Te lo iba a decir, David, pero no quería que te enteraras tan pronto. Me voy».

Me voy, en el tono en que lo había dicho Diego, tiene entre nosotros una connotación terrible. Quiere decir que abandonas el país para siempre, que te borras de su memoria y lo borras de la tuya, y que, lo quieras o no, asumes la condición de traidor. Desde *un principio lo sabes y lo aceptas porque viene incluido en el precio del pasaje. Una vez que lo tengas en la mano no podrás convencer a nadie de que no lo adquiriste con regocijo. Éste no podía ser tu caso, Diego ¿Qué ibas a hacer tú lejos de La Habana, de la cálida suciedad de sus calles, del bullicio de los habaneros? ¿Qué podías hacer en otra ciudad, Diego querido, donde no hubiera nacido Lezama ni Alicia bailara por última vez cada fin de semana; una ciudad sin burócratas ni dogmáticos para criticar, sin un David que te fuera tomando cariño? «No es por lo que piensas», dijo. «Sabes que a mí en política me da lo mismo ocho que ochenta. Es por la exposición de Germán. Eres muy poco observador, no sabes el vuelo que tomó eso. Y no lo botaron a él del trabajo, me botaron a mí. Germán se entendió con ellos, alquiló un cuarto y viene a trabajar para La Habana como artesano de arte. Reconozco que me excedí en la defensa de las obras, que cometí indisciplinas y actué por la libre, aprovechándome de mi puesto, pero ¿qué? Ahora, con esa nota en el expediente, no voy a encontrar trabajo más que en la agricultura o la construcción, y dime, ¿qué hago yo con un ladrillo en la mano?, ¿dónde lo pongo? Es una simple amonestación labo-*

ral, ¿pero quién me va a contratar con esta facha, quién va a arriesgarse por mí? Es injusto, lo sé, la ley está de mi parte y al final tendrían que darme la razón e indemnizarme. Pero, ¿qué voy a hacer? ¿Luchar? No. Soy débil, y el mundo de ustedes no es para los débiles. Al contrario, ustedes actúan como si no existiéramos, como si fuéramos así sólo para mortificarlos y ponernos de acuerdo con la gusanera. A ustedes la vida les es fácil: no padecen complejos de Edipo, no les atormenta la belleza, no tuvieron un gato querido que vuestro padre les descuartizó ante los ojos para que se hicieran hombres. También se puede ser maricón y fuerte. Los ejemplos sobran. Estoy claro en eso. Pero no es mi caso. Yo soy débil, me aterra la edad, no puedo esperar diez o quince años a que ustedes recapaciten, por mucha confianza que tenga en que la Revolución terminará enmendando sus torpezas. Tengo treinta años. Me quedan otros veinte de vida útil, a lo sumo. Quiero hacer cosas, vivir, tener planes, pararme ante el espejo de Las Meninas, dictar una conferencia sobre la poesía de Flor y Dulce María Loynaz. ¿No tengo derecho? Si fuera un buen católico y creyera en otra vida no me importaba, pero el materialismo de ustedes se con-

tagia, son demasiados años. La vida es ésta, no hay otra. O en todo caso, a lo mejor es sólo ésta. ¿Tú me comprendes? Aquí no me quieren, para qué darle más vueltas a la noria, y a mí me gusta ser como soy, soltar unas cuantas plumas de vez en cuando. Chico, ¿a quién ofendo con eso, si son mis plumas?

Sus últimos días aquí no siempre fueron tristes. A veces lo encontraba eufórico, revoloteando entre paquetes y papeles viejos. Tomábamos ron y escuchábamos música. «Antes de que vengan a hacer el inventario, llévate mi máquina de escribir, la cocinilla eléctrica y este abridor de latas. Le será muy útil a tu mamá. Éstos son mis estudios sobre arquitectura y urbanística: ¿muchos verdad? Y buenos. Si no me alcanza el tiempo, los envías anónimamente al Museo de la Ciudad. Aquí están los testimonios sobre la visita de Federico García Lorca a Cuba. Incluye un itinerario muy detallado y fotografías de lugares y personas con pies de grabados redactados por mí. Aparece un negro sin identificar. Guarda para ti la antología de poemas el Almendares, complétala con algún otro que aparezca, aunque ya el Almendares no está para poemas. Mi-

ra esta foto: yo en la Campaña de Alfabetización. Y éstas son de mi familia. Me las llevaré todas. Ese tío mío era guapísimo, se atragantó con una papa rellena. Aquí estoy con mamá, mira qué buena moza. A ver, ¿qué más quiero dejarte? Ya te llevaste la papelería, ¿no? Los artículos que consideres más potables envíalos a Revolución y Cultura, donde quizás alguien sepa apreciarlos; selecciona temas del siglo pasado, pasan mejor. El resto entrégalo en la Biblioteca Nacional, ya sabes a quién. Ese contacto no lo pierdas, de vez en cuando llévale un tabaco y no te ofendas si te dice algún piropo, que él de ahí no pasa. Te dejaré también el contacto con el Ballet. Y éstas, David Álvarez, las tazas en que tanto hemos bebido, quiero dejártelas en depósito. Si algún día se presenta la oportunidad, me las envías. Como te dije, son de porcelana de Sèvres. Pero no por eso, pertenecieron a la familia Loynaz del Castillo y son un regalo. Bueno, te voy a ser sincero, me las afané. Mis discos y libros ya salieron, los tuyos te los llevaste y ésos que quedan ahí son para despistar a los del inventario. Consígueme un afiche de Fidel con Camilo, una bandera cubana pequeña, la foto de Martí en Jamaica y la de Mella con sombrero; pero rápido por-

que es para enviar por valija diplomática con las fotos de Alicia en Giselle y mi colección de monedas y billetes cubanos ¿Quieres el paraguas para tu mamá, o la capa?». Yo lo iba aceptando todo en silencio, pero a veces me venía alguna esperanza y le devolvía las cosas: «Diego, ¿y si le escribimos a alguien? Piensa en quién podría ser. O yo voy y le pido una entrevista a algún funcionario, tú me esperas afuera». Me miraba con tristeza y no aceptaba el tema. «¿No conoces a algún abogado, uno de esos medio gusanos que quedan por ahí? ¿O a alguien que ocupe un puesto importante y sea maricón tapado? Le has hecho favores a muchísima gente. Yo me gradúo en julio, en octubre ya estoy trabajando, te puedo dar cincuenta pesos al mes». Me callaba cuando veía que se le aguaban los ojos, pero siempre encontraba el modo de recuperarse. «Te voy a dar el último consejo: pon atención a la ropa que te pones. Tú no serás un Alain Delon, pero tienes tu encanto y ese aire de misterio que, digan lo que digan, siempre abre las puertas». Era yo quien no encontraba qué decir, bajaba la cabeza y me ponía a reordenar sus paquetes, a revisarlos. «¡No!, eso no, no lo desenvuelvas. Son los inéditos de Lezama. No me mires así. Te juro que jamás haré mal uso de ellos. Te juré también que nunca me iría y me voy, pero esto es distinto. Nunca negociaré con ellos ni los entregaré a nadie que los pueda manipular políticamente. Te lo juro. Por mi madre, por el basquetbolista, por ti, vaya. Si puedo capear el temporal sin utilizarlos, los devolveré ¡No me mires así! ¿Crees que no comprendo mi responsabilidad? Pero si me veo muy apretado, me pueden sacar de apuro. Me has hecho sentir mal. Sírveme un trago y vete».

A medida que se fue aproximando la fecha de la partida, fue languideciendo. Dormía mal y adelgazó. Yo lo acompañaba el mayor tiempo posible, pero me hablaba poco, creo que a veces ni me veía. Acurrucado en la butaca de John Donne, con un libro de poemas y un crucifijo en las manos, pues su religiosidad se había exacerbado, parecía haber perdido color y vida. María Callas lo acompañaba, cantando bajito y suave. Un día se quedó (te quedaste, Diego, no voy a olvidar esa mirada tuya), mirándome con una intensidad especial. «Dime la verdad, David», me preguntó, «¿tú me quieres?, ¿te ha sido útil mi amistad?, ¿fui irrespetuoso conti-

*go?, ¿tú crees que yo le hago daño a la Revolución?». María Ca-
llas dejó de cantar. «Nuestra amistad ha sido correcta, sí, y yo te
aprecio». Sonrió. «No cambias. No hablo de aprecio, sino de amor
entre amigos. Por favor, no le tengamos más miedo a las palabras». Era también lo que yo había querido decir, ¿no?, pero tengo esa dificultad, y para que estuviera seguro de mi afecto y de
que, en alguna medida, yo era otro, había cambiado en el curso de
nuestra amistad, era más el yo que siempre había querido ser,
añadí: «Te invito mañana a almorzar en El Conejito. Voy tempra-
no y hago la cola. Tú sólo tienes que llegar antes de las doce. Pago
yo. ¿O prefieres que venga a buscarte y vamos juntos?». «No,
David, no hace falta. Todo está bien como ha sido». «Sí, Diego,
insisto. Sé lo que te estoy diciendo». «Bueno, pero al Conejito, no.
En Europa me haré vegetariano». Y si lo que yo quería, o necesitaba, era exhibirme con él, si eso me servía para ponerme en paz
conmigo o algo, bueno, concedido. Llegó al restaurante a las doce
menos diez, cuando el gentío se apiñaba ante la puerta, bajo una
sombrilla japonesa y un vestuario que permitía distinguirlo a dos
cuadras de distancia. Gritó mi nombre con los dos apellidos desde*

la acera opuesta, agitando el brazo, que se había llenado de pulseras. Cuando estuvo junto a mí me besó en la mejilla y se puso a describirme un vestido precioso que acababa de ver en una vidriera y que me podía quedar pintado; pero para sorpresa suya y mía y de la cola defendí, con un énfasis que lo opacó, otra línea de moda, porque eso tenemos los tímidos, si nos destrabamos somos brillantes. Celebramos, con el almuerzo, la eficacia de su técnica para desalmidonar comunistas. Y pasando a mi formación literaria, agregó otros títulos a la lista de mis lecturas pendientes. «No olvides a la condesa de Merlín, empieza a investigarla. Entre esa mujer y tú, se va a producir un encuentro que dará que hablar». Terminamos con el postre en Coppelia, y luego en La Guarida con una botella de Stolichnaya. Estuvo maravilloso hasta que se acabó la bebida. «He necesitado este vodka ruso para decirte las dos últimas cosas. Dejaré para el final la más difícil. Creo, David, que te falta un poco de iniciativa. Debes ser más decidido. No te corresponde el papel de espectador, sino el de actor. Te aseguro que esta vez te desempeñarás mejor que en Casa de muñecas. No dejes de ser revolucionario. Dirás que quién soy yo para hablarte así. Pero

*sí, tengo moral, alguna vez te declaré que soy patriota y lezamiano.
La Revolución necesita de gente como tú, porque los yanquis no,
pero la gastronomía, la burocracia, el tipo de propaganda que ustedes hacen y la soberbia, pueden acabar con esto, y sólo la gente
como tú puede contribuir a evitarlo. No te va a ser fácil, te lo
advierto, vas a necesitar mucho espíritu. Lo otro que debo decirte,
deja ver si puedo, porque se me cae la cara de vergüenza, sírveme
el poquito de vodka que queda, es esto: ¿recuerdas cuando nos
conocimos en Coppelia? Ese día me porté mal contigo. Nada fue
casual. Yo andaba con Germán, y cuando te vimos, apostamos a
que te traería a la guarida y te metería en la cama. La apuesta
fue en divisas, la acepté para animarme a abordarte, pues siempre
me infundiste un respeto que me paralizaba. Cuando te derramé la
leche encima, era parte del plan. Tu camisa junto al mantón de
Manila, tendidos en el balcón, eran la señal de triunfo. Germán,
naturalmente, lo ha regado por ahí, y más ahora que me odia.
Incluso en algunos círculos, como en los últimos tiempos sólo me
dediqué a ti, me llaman la Loca Roja, y otros creen que esta idea
mía no es más que un paripé, que en realidad soy una espía en-*

viada a Occidente. *No te preocupes demasiado, que esa duda flote en torno a un hombre, lejos de perjudicarlo, le da misterio y son muchas las mujeres que caen en sus brazos atraídas por la idea de reintegrarlos en el buen camino ¿Me perdonas?»*. Yo guardé silencio, de lo que él interpretó que sí, que lo perdonaba ¿*«Ya ves?, no soy tan bueno como crees ¿Hubieras sido tú capaz de una cosa así, a mis espaldas?»*. Nos miramos. *«Bien, ahora voy a hacer el último té. Después te vas y no vuelvas más. No quiero despedidas»*. Eso fue todo. Y cuando estuve en la calle, una fila de pioneros me cortó el paso. Lucían los uniformes como acabados de planchar y llevaban ramos de flores en la mano; y aunque un pionero con flores desde hacía rato era un gastado símbolo del futuro, inseparable de las consignas que nos alientan a luchar por un mundo mejor, me gustaron, tal vez por eso mismo, y me quedé mirando a uno, que al darse cuenta me sacó la lengua; y entonces le dije (le dije, no le prometí), que al próximo Diego que se atravesara en mi camino lo defendería a capa y espada, aunque nadie me comprendiera, y que no me iba a sentir más lejos de mi Espíritu y de mi Conciencia por eso, sino al contrario, porque si entendía bien las *cosas, eso era luchar por un mundo mejor para ti, pionero, y para mí. Y quise cerrar el capítulo agradeciéndole a Diego, de algún modo, todo lo que había hecho por mí, y lo hice viniendo a Coppelia y pidiendo un helado como éste. Porque había chocolate, pero pedí fresa.*

La Habana, 1990

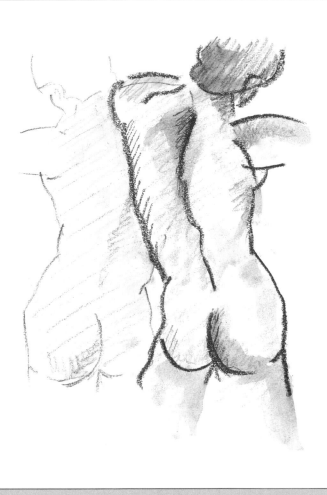